KB096396

가끔은 우울해도 괜찮아

발　행 | 2024년 02월 16일
저　자 | 김채현
펴낸이 | 한건희
펴낸곳 | 주식회사 부크크
출판사등록 | 2014.07.15.(제2014-16호)
주　소 | 서울특별시 금천구 가산디지털1로 119 SK트윈타워 A동 305
호
전　화 | 1670-8316
이메일 | info@bookk.co.kr

ISBN | 979-11-410-7216-2

가끔은 우울해도 괜찮아

당신이 행복해지는 그날까지

가끔은 우울해도 괜찮아

김채현 지음

list

우울을 처음 마주한 순간

난 중2 때 처음으로 우울해지기 시작했다. 나는 내가 우울했던 이유를 몰랐다. 그냥 단순 중2병이나 사춘기라고 생각했을 뿐..

가면 갈수록 심각해질 줄은 꿈에도 상상 못 했던 바였다. 난 이 우울을 겪을 때면 좌절을 하곤 했고 더 이상 나아갈 길이 없다는 생각까지 하곤 했다. 그래서 난 담임선생님께 상담을 부탁드렸다.

'선생님 내일 학교에서 상담 가능하실까요?'

'그래!'

다음날 상담 시간이 찾아왔다. 난 첫마디부터 우울하고 힘들다고 말씀드렸다. 이 말을 들은 선생님은 '왜? 무슨 일이라도 있어?'라고 얘기를 하셨고 나는 차마 입 밖으로 내뱉지 못했다. 그렇다 나는 사연이 있었다.

내가 중2가 되는 날 설레는 마음으로 등교를 했고 처음엔 순조롭게 학교생활이 흘러갔다.

그러나 시간이 지나고 갑자기 어떤 애한테 이런 얘기를 듣는다.

'그 있잖아 너 1학년 때 남자애들이 너 욕했었어'

이 말을 듣고 나는 분노가 차올랐다. 그러나 분노가 차오르는 것도 잠시..
옆에 있던 애가 한마디를 더 한다.

'맞아 1학년 때 너 00이랑 다닌다고 욕하고 너 소문 좀 났었어.
너랑 친해지지 말라고 얘기도 엄청 하고..'

난 이 말을 듣는 순간 당황하였다.
냉동실에서 방금 꺼낸 얼음이 되어버린 느낌이랄까?

난 그날 집에서 생각했다.

'내가 왜 그런 소문에 시달리고 있다는 걸 몰랐을까..'

이때부터 난 자신감이 하락했고 자존감 또한 사라져갔다.
그래도 이미 지나간 일이니 잊어버리고 학교생활을 이어나갔다.

그러나 불행은 지금부터 시작이었다.

난 원래 밝고 활발한 아이였지만 어느 순간부터 일진이라는 이미지로 찍혀있었다.

난 일진이라는 이미지로 낙인찍혔을 때 왜 이런 이미지로 생각하는 건지 곰곰이 생각했다. 정말 깊게 생각해 본 결과,
내 주변인들 때문에 내 이미지가 망가진 것..

난 선생님께 곧장 상담을 하자고 말씀드렸다.

그러고선 상담을 하는데 내가 생각한 것이 맞았다. 장담을 할 순 없지만 선생님도 나와 같은 생각을 하시는 게 100% 중에 80%는 맞지 않을까?
선생님과의 상담이 끝난 뒤 또 며칠이 흐르고
난 또 다른 이야기를 듣는다. 3학년한테까지 내 소문이 난 것이고 정말 내가 한순간에 나락이 갔다는 소식을..

핸드폰을 키는 순간 에0크에 온갖 욕들이 달려있었다. 패드립도 있었고 나보고 죽으라는 험한 말까지 정말 많았다. 내 주변인들은 에0크를 하지 말라고 잔소리를 하였지만 난 그걸 그냥 상처받은 채로 계속 지켜보았다.

이렇게 에0크에 욕이 달리고 소문이 나고 정말 한순간에 태풍이 몰아친 것 같았다.
이 상태로 나는 몇 개월을 버티고 또 버티다가 심한 우울 증상과 불안 긴장감을 느끼게 되었다.
나는 이 일들을 처리하기 위해 학생부에도 내려가서 얘기해 보고 부모님께도 이야기하고 정말 수를 썼지만 해결은 안 됐다.

이제 이 일이 나에게는 익숙해지는 날이 온 것.. 욕먹는 것도 타격감이 없을 정도랄까
나는 내 심각성을 알아차리고 엄마랑 얘기를 했다.

'엄마 나 너무 힘든데 학교 안 나가면 안 돼?'

'뭐가 힘든데?'

'나 그냥 학교생활이 너무 힘들어'

'학교생활이 힘들다고 무조건 안 나가면 안 되지 조금씩 버티다가 힘들면 그때 조퇴라도 해'

난 엄마와 얘기한 후 정말 서러웠다. 엄마라면 이해해 줄 수 있을 것 같았는데..

그래도 난 학교를 안 가기 위해 엄마에게 모든 걸 털어놓았다.

이 이야기를 입 밖으로 꺼내는 게 어려웠지만 정말 학교 가는 게 무서웠기에 용기를 내어 얘기를 했고 엄마는 이 이야기를 듣고 이제야 이해를 해주셨다.

그리고 나는 자퇴한 학생처럼 학교를 안 나가기 시작했고 유급이 될 정도로 학교에 얼굴을 비추지 않았다.

학교를 가는 일이 있더라도 무조건 조퇴하고 집으로 곧장 갔다. 집으로 가면 방에서 나오질 않고 하루를 조용히 내 방에서만 보냈다.

방에서는 우는 일이 많았고 불안감에 더욱더 나 자신이 망가지는 느낌을 받을 수 있었다.

그러나 며칠 뒤 내가 엄마와 싸우게 된 것이다.

엄마도 나보고 집 나가라고 하고 ..

그날 15년 인생 중 처음으로 가출이라는 것을 시도해 보려 했다. 저녁까지 버티고 친구 집에서 자려고 했지만 엄마 아빠가 집에 들어오라고 했다. 난 싫었기에 친할머니에게 연락을 드렸고 내용은 이렇다.

'할머니 뭐해요?'

'할머니 지금 집에 있지 왜요?'

'저 할머니랑 같이 살면 안 돼요?'

'할머니는 무조건 좋지 할머니가 너 공부에 집중하게 만들고 나중에 대학도 좋은 곳 보낼 거야'

난 울었다.

나는 정말 안 좋은 버릇이 있다. 눈물이 나오려고 해도 참고 몇 개월 후에 쏟아낸다.
그게 가출한 그날이었던 것.

사실 가출이라고 하기 엔 외출이라는 표현이 맞는 듯.

아빠가 집으로 빨리 오라고 뭐라 안 할 테니까 집으로 들어오기만 하라고 해서 난 집으로 갔다. 들어가자마자 잠을 잤고 이 하루는 없는 것 마냥 끝이 났다.

이제 나는 버티고 버티다가 방학이 된 후에야 진정한 나로 다시 만날 수 있게 되었다. 마침 전학을 가기에 다시 새로운 삶을 살 수 있게 된 것.

전학을 갈 수 있던 이유가

그날 엄마랑 싸웠기에 갈 수 있던 것 같다.

그리고 내 삶이 리셋은 안되지만

남은 학교생활은 행복해질 수 있도록 만들 수 있는 기회
가 다시 생겼기에

나는 우울 증상을 극복하고 지금은 내 취미에 시간을 들
이고 있다.

이 시기에는 우울 증상이 보이는 게 흔하다고 볼 수 있
다.

나는 다만 심했던 것뿐.. 이걸 극복해 내면 아무렇지도
않다.

그 당시에는 '극복'이라는 단어도 떠오르지 않을 만큼 힘
들었기에 극복하지 못하였지만 지금은 충분히 극복할 수
있게 되었다.

마인드를 바꾸고 마음가짐이 있다 보니 사람이 바뀐 느
낌이랄까

나는 정말 많이 바뀌었다.

분명 어제까지만 해도 우울하고 힘들었다면 지금의 나는
우울한 마음을 부여잡고 당당하게 일어설 수 있다.
자기 자신을 믿으면 모든 할 수 있다.
사람은 노력을 배신하지 않는다.

그리고 나는 우울할 때마다 항상 핸드폰만 보고 시간을
보내곤 했다. 그래서 그런지 핸드폰에 정이 들어버렸고
나는 매일매일 핸드폰과 함께 하는 시간이 많아졌다.
그런 나를 보고 엄마는 내 방에 들어와서는 이렇게 말했
다.

'맨날 핸드폰만 부여잡고 살아'

나는 대답했다. '왜'라고.

엄마는 내 대답을 듣고 '그냥 물어보는 거야'라고 말씀하
시고 바로 내 방을 나가셨다.
엄마는 매번 내 방에 들어와서 저 말을 많이 하신다.

난 처음에는 엄마가 왜 그러는지 이해가 안 갔다.
그러다 몇 주가 흐르고 나는 핸드폰을 보는 게 너무 지
루해진 상태가 되었다.

지루해도 핸드폰 말고는 할 게 없었기에 검색창을 켜서
'심심할 때 핸드폰으로 할 거 추천' 이런 걸 검색하고
창에 뜨는 것을 하곤 했다.

그러다가 나는 문득 생각을 했다.
'핸드폰 말고는 할 게 없을까?' 그래서 나는 취미생활을
찾아보려고 엄청난 노력을 했다. 나는 핸드폰을 매번 부
여잡고 있었지만 핸드폰을 본다고 내 우울함이 풀리지는
않았기에 이런 생각을 한 것 같다,

나는 취미를 가지기 위해 노력했다.
운동도 해보고 노래도 불러보고 친구랑 만나서 놀아보기
도 하고 산책도 해보고 등등 나는 안 한 게 없을 정도로
이것저것 뭐든 다 해봤다.
그런데도 이 많은 것 중에 나랑 맞는 취미는 없는 것 같
았다.
그나마 맞는 것은 운동이랑 노래..? 하지만 나는 그것을
우울할 때마다 하기에는 나랑 맞지 않았다.

나는 돌고 돌아 또다시 핸드폰과 마주하게 되었다.
핸드폰을 다시 마주할 줄은 몰랐다.
이 세상에는 할 것이 많았기에 내 취미를 찾을 수 있을
것 같았는데..

나는 또다시 우울감에 빠지게 된다.
툭하면 우울해지고 툭하면 불안해지는 게 습관 된 나는
도저히 견딜 수 없었고 나는 또 취미를 가지려고 노력을
했지만 노력을 한 결과,

또 찾지 못했다. 그런 나에게 우울감과 불안감이 전부인
줄 알았지만 또 다른 증상이 있었다.

불면증이 있었던 것.
잠에 들지도 못하고 항상 깨있고 한두 시간만 자도 아무
렇지 않았다. 날 새고 학교 가기도 하고..

엄마는 나에게 말했다
'왜 그러지.. 잠 안 오면 책 읽어봐 스르르 잠 오잖아' 나
는 처음에는 거부했다.

책 읽는 것을 무지 싫어했기에 엄마가 책 읽으라는 소리를 할 때마다 거절을 했지만 엄마가 세 번째 말하는 순간 나는 처음으로 알겠다고 대답을 했다.

그 이유는 엄마가 그 말을 또 하기 전 한 SNS에

'우울할 때 도움을 주는 책' 이라고 추천 작품들이 나와 있던 것.
그걸 보고 나는 인터넷에 책들을 찾아봤다.

'뭔가 나에게 도움이 되지 않을까?' 라는 생각을 가지고 열심히 찾아본 결과,
정말 좋은 책을 하나 보게 되자 바로 구매했다.

그리고 다음날 바로 책이 도착을 했고 나는 설레는 마음으로 택배를 뜯었다.

그러고선 나는 엄마한테 자랑했다.

'엄마 나 책 샀어!' 그런 나를 본 엄마는 나에게 칭찬을 해주었다.

'어이구 잘했어 이런 책 읽으면 좋아' 나는 이런 엄마의 칭찬을 듣고 기분이 더 업 됐다.

책이 도착한 건 기분이 좋았지만 바로 읽지는 않았다.

할 게 없을 때 또는 자존감이 낮아지고 우울해질 때 읽고 싶어서 저녁이 될 때까지 읽지 않았고 저녁이 되자마자 나는 책을 바로 읽었다.

나는 그 책을 읽을 때 바로 이런 생각이 들었다.

'책이 재밌으면서 나를 차분하게 만들어주는 것 같고 자존감을 높여주는 것 같다'라는 생각을 많이 했다.

나는 그날 시간 가는 줄 모르고 책을 새벽까지 읽고 아침이 돼서야 잠에 들었다.

나는 이 책을 봤을 때 정말 좋았던 것 같다. 왜냐하면 바로 내 취미를 찾은 것만 같았기 때문이다. 책을 이 정도만 읽고 왜 취미가 되냐 라고 할 수 있겠지만 사람의 feel이라는 게 있잖아요?

나는 그걸 느꼈기에 드디어 바라고 바라던 나의 취미를 찾은 것.

내 첫 취미가 책 읽기가 되다니 정말 당황스러우면서 기분은 좋았다. 정말 상상하지도 못한 취미였고 내가 책을 읽을 줄도 몰랐기에 이 세상에서 가장 당황스러운 사람이 된 것 같았다.

이제 취미도 생겼겠다! 나는 책을 정말 꾸준히 읽었다. 그러다 보니 책이 정말 나에게 많은 도움과 지식을 주었고 많은 걸 배워가는 기분이 들었다.

'책'이라는 단어가 사람들에게는 지루하고 재미없다고 느낄 수 있는 단어일 수도 있겠지만 자기 적성에 맞는 책을 찾아서 읽으면 책도 재밌다는 걸 느낄 수 있게 된다.

나도 짧지만 16년 인생 중에서 책을 진심으로 읽은 건 이번이 처음이었다. 그러다 잠시.. 책을 읽다 말고 나는 생각이 들었다.
나도 힘들고 우울한 사람에게 도움 되는 책을 만들고 싶다는 마음이 부쩍 커졌다.

갑작스럽긴 하지만 나는 인터넷에 검색을 하며 청소년이 책을 내는 방법을 찾았다.

난 방법을 찾다가 머릿속에 주변인들이 하던 말들이 지나갔다. 내 주변인들은 나를 보고 글을 잘 쓴다고 얘기하고 말도 잘 한다고 이야기를 많이 했다.

그래서 전부터 글 써보는 건 어떠냐고 권하는 경우가 정말 많았지만 나는 그것을 거부하고 지냈다.

그러다가 갑자기 책을 내가 만든다고 생각하니까 기분이 좋아진 느낌?

청소년 작가가 되는 게 아닐까? 라는 생각이 있었다.
그래서 지금의 내가 있는 것이다.

난 왜 태어난걸까

나는 종종 내가 왜 태어났는지에 대한 의문이 생긴다.
부모님이 낳아주셨기에 태어난 건 당연한 말.
나는 왜 '난 왜 태어난걸까'에 대한 말은 그 당연한 말이
아니다.

'난 왜 태어난걸까'에 대한 진정한 뜻은
내가 이 세상에서 살아가도 되는 사람인지에 대한 말이
다.
사람들은 우울하면 항상 이런 생각을 하곤 한다.

내가 이렇게 살아가도 되는 건지, 나는 왜 태어났는지,
나는 왜 살지? 라는 생각들을 종종 한다.

한때 나도 그랬었기에 힘든 사람들의 마음을 잘 안다.
현재는 아니지만 과거에 나는 이보다 더한 생각들을 하
고 시간을 보냈고 내 주변인들도 이런 생각을 하는 걸
많이 볼 수 있었다.

난 그럴 때마다 사람들은 다 똑같다는 생각을 한다.
우리는 태어났기에 살아가는 사람이기도 하지만
미래를 위해 살아가기도 한다.

사람들의 생각은 다 다르지만 공통적인 것은 힘들어하는
사람들의 마음은 다 똑같다는 것이다.
때론 힘들고 지치겠지만 때로는 행복하기도 한다.

그렇지만 사람은 365일 내내 행복할 수만은 없다.
행복하게 지내다가 어느 날은 우울할 때도 있는 것이고
불행할 때도 있는 것이고 이게 우리의 인생이다.

불행하다고 해서 너무 깊은 생각하지 말아라.
이건 당신이 성장하는 과정일 뿐이니.

우리의 인생은 계단과 같다고 표현한다.

이 계단을 레벨이라고 부르기로 해요.
한 계단 한 계단 오를수록 우리는 한 레벨씩 성장을
한다는 뜻이니까.

계단을 못 올라간다고 생각 말아요. 언제든지 올라갈 수
있으니

이 세상 사람들이 이곳에 태어난 건 사랑받을 수 있는 존재이기에 태어난 것이다.

그러므로 우리는 모두 사랑받을 수 있는 존재고 가끔은 미움을 받아도 미움 받는 내가 나쁜 사람이 아닌 나를 미워하는 사람을 나쁜 사람이라고 생각하자.

그리고 당신이 여기에 있다는 건 이 세상에 필요한 사람이기에 여기에 서 있는 것이에요.
그러니 너무 부정적으로 생각하지 말고 긍정적으로 생각해 봐요.

그럼 당신이 태어난 이유를 알게 될 거예요.
저도 처음엔 부정적으로 생각을 했지만 생각을 바꿔보니까 이유를 알겠더라고요.

눈치 보여요

나는 중2 때부터 정말 많은 눈치를 봤다.
학교에서 눈치 보고 바깥에서 눈치 보고 집에서도 눈치
보고 정말 다양한 곳에서 눈치만 보며 살았다. 난 정말
동굴 속에 갇힌 곰처럼 생활했다.

나 자신을 그 어둠 속에서 꺼내야 하는데 꺼내질 못하고
혼자 세상 속에 갇힌 채 살았다. 어딜 가나 사람들 눈치
만 보고 내가 말하고 싶은 게 있어도 말을 못 할 정도로
눈치만 보며 하루를 견뎠다.

나는 어느새 사람들 눈치만 보면서 지내는 게 익숙해졌고 이 세상에 살기가 싫어진다는 느낌이 확 들었다.
그 당시 나는 '내가 왜 이렇게 눈치 보면서 살아야 하지'라는 생각 때문에 하루하루는 점점 더 불행해져만 갔다.

그리고 나는 15살이라는 나이에 많은 걸 경험했다. 눈치 보고 사는 건 기본이고 거기에 불안함도 추가가 됐다.
난 그 당시 위에 내용 '우울을 처음 겪었던 나'에 적혀있는 것처럼 욕을 무지 많이 먹었고 그거에 대한 안 좋은 기억들이 많았기에 사람들 만나는 것조차 무서워했다.
그래서 어딜 가나 사람들을 보면 눈치 보는 건 무조건이고 거기에 플러스로 불안감이 추가된 것이다.

나도 이렇게 살고 싶지 않았지만 사람 심리라는 게 뜻대로 안 되는 것 같다.

그리고 나는 눈치가 보이면 쥐구멍에 숨곤 했다.

학교에서 애들을 마주치면 반으로 들어가거나 화장실로 가고 학생부로 달려가서 앉아있기도 하고 정말 쥐같이 행동했다.

나는 쥐처럼 행동하는 게 익숙해져서 학교에서 발표를 하는 일이 있어도 선생님께 부탁해서 발표를 하지 않고 구석에서 듣기만 했고,
수행 평가하는 날이 와도 난 기본점수로 받았다.
시험이 중요한 나이긴 하지만 사람이 무서웠기에 시험 성적을 포기하고 구멍에 숨어버린 것이다. 난 이런 내가 너무 한심했다.

나도 다른 애들처럼 행복했으면 좋겠고 친구들이랑 놀러 다니면서 웃고 떠들고 싶었는데 난 친구도 잃고 모든 걸 잃은 상태였기 때문에 그 행복마저 잃어버리고 말았다.
내 곁에 남은 친구는 한두 명 정도밖에 안됐고 나는 그 친구들과 지내야 했다.

그러나 나는 내 소문 때문에 그 친구들마저 잃을까 봐 걱정이 너무 많아졌다.

나는 그 걱정 때문에 곁에 남아있던 친구들에게도 눈치가 보였고 나는 더 이상 견딜 수 없을 정도로 많이 심해졌다.

나는 원래 이런 애가 아닌데 왜 이렇게 쥐구멍에 숨어버리는 건지 도저히 모르겠다. 당당하게 다니고 싶고 나답게 행동하고 싶은데 고작 그 눈치 때문에 나답게 행동하고 다니지 못한다는 게 너무 억울하고 지옥 같았다.
누가 나 좀 구멍에서 꺼내줬으면 하는 마음이 있었는데..
아무도 나를 꺼내주지 않았다.

나는 누구에게 이 고민들을 말하고 싶었지만 말할 상대가 없었다.
내 곁에 남아있는 친구들에게 고민을 말해도 되겠지만 배신을 많이 당해봤기에 그것조차 무서워서 말하지 못했다.
잘못 말했다가는 그 친구가 나를 배신하고 뒤에서 말할 수도 있기 때문이 였다.

나는 형제가 없어서 그 많은 걸 혼자 감당해야만 했다.
내가 오빠나 언니가 있었더라면 고민이라도 털어놓기라도 하지..
외동은 이래서 힘든 것 같다.

나는 이 각박한 세상에서 눈치를 보면서 살아가는 게 혼자서는 너무 어려웠고 속상했다.

누가 나 좀 살려줬으면 좋겠다는 생각뿐.
하지만 나에게 돌아오는 건 상처뿐이었다. 내 인생 중 이렇게 스트레스 받아본 건 처음이었고 내 상태가 이 정도로 악화될 줄은 상상도 못했다. 누가 내 마음이라도 좀 알아줬으면 좋겠는데..

내가 티를 내지 않은 건지 아니면 모른척하는 건지 도저히 알 수가 없었다.

왜 내 인생은 이렇게 힘든 걸까 라며 생각을 하고 온통 내 머릿속은 부정적인 생각으로 가득 차 있었다. 그리고 난 이 학교에 다니는 게 너무 고통스러웠기 때문에 전학 갈 수 있는 여러 가지 방법을 찾았다.
교장실에 가서 내 상황을 말하기도 하고 학생부도 가보고 위 클래스도 가고 안 해본 게 없다.

내가 저렇게 해본 결과,
선생님들의 답변은..

'전학은 안돼. 우리가 허락한다고 해서 보내줄 수는 없어.'라는 답변만 나에게 돌아왔다.

나는 그 이야기를 듣고 정말 속상했다. 내가 그렇다고 선생님들을 이해 못하는 건 아니다. 선생님들도 복잡하셨겠지.

그냥 나는 전학만 갈 수 있다면 모든 할 수 있었다.

난 엄마 아빠한테도 말해봤다. 엄마 아빠는 우선 집을 알아본다고 하셨지만 난 기대는 딱히 안 했다. 느낌이 별로 좋지 않았기 때문에..

그러고 며칠 뒤, 엄마가 나를 불렀다.

나는 엄마한테 가는 순간 기쁜 소식을 듣는다. '엄마가 집 알아봤는데 이사 갈 수 있을 것 같아'

나는 이 한마디를 듣는 순간 파티라도 열고 싶었다.

엄마는 내가 얼마나 심각한 상태인지 알았기에 나에게 도움을 준 것.

그렇게 나는 이사를 갈 수 있게 되었다. 이사 가는 집을 직접 가서 보고 ..

그렇게 이사 가는 날이 확정됐다.

날짜는 1월 26일.

하지만 기분이 그렇게 좋은 건 아니었다.

왜냐하면 나는 전학을 간다 해도 눈치만 계속 볼 것 같
았다.
'전학 가서 발표도 못하면 어떡하지?

'친구가 안 생기면 어떡하지..'라는 생각들이 가득 차 있
었고 온통 걱정이 내 머릿속을 지배하고 있었기 때문이
다. 전학 가서는 모든 게 잘 됐으면 좋겠고 행복한 학교
생활을 하는 게 내 꿈이나 다름없다.

그래서 나는 결정을 한 게 있다. 내가 자존감과 자신감이
높아지기 위해서 운동을 다시 시작하는 것. 운동을 하면
당당해질 수 있다. 애들은 싸움을 잘하는 애는 건들지 못
하기 때문이다.
난 이렇게 마음먹지 않아도 운동을 합쳐서 몇년간 해왔
다.

예전에는 나를 아무도 건들지 못했는데 이제는 나를 너
무 건들고 상처를 준다.
그래서 나는 이제 더 이상 눈치를 보지 않고 살아갈 것
이다.

사는 게 버거울 때

사람들은 살다 보면 삶이 버거울 때가 있다.
나도 한참 힘들었을 때 내 삶이 버거웠다. 삶이라는 건
모든 완벽할 수만은 없다. 그게 우리의 인생이고 세상의
규칙이라고 해야 할까?
우리는 내 삶에 만족하지 않거나 힘이 들 때면 좌절을
한다.
그게 사람의 심리인 듯.

이렇게 세상에서 사는 게 아무리 힘들고 버거워도 우리는 이 세상에서 버티고 살아야만 승리하는 인간이나 마찬가지인 것 같다.

하지만 학생들은 어른들과는 달라도 너무 다르다. 어른이라면 삶이 버거울 때 마음을 부여잡고 노력하는 마음이 있다면 학생은 노력하는 마음은 뒤로하고 항상 뒤로 쳐지기만 한다.

왜냐하면 우리는 아직 어리기에 뭘 어떻게 해야 하는지 100% 중에 30%밖에 알지 못한다.

어른들은 우리 같은 학생들에게 너희가 얼마나 살았다고 사는 게 버겁냐면서 이야기할 때가 많다. 그걸 들은 우리는 상처를 또 받게 되고 살기 싫어진다.
학생들은 정말 단순하기 때문에 뭐만 하면 쉽게 상처를 받게 되고 그 상처는 스트레스로 쌓이게 돼서 우리를 더 망가뜨린다.

학생은 아직 성장하는 시기이고 어른들이 그런 말을 하면 또 우리는 우울감에 빠지게 된다.

그럴 때 나는 어른들의 말을 무시하고 내 갈 길을 간다.
학생도 사람이기에 스트레스를 받을 수 있고 상처도 받
을 수 있다. 그렇기에 그런 말은 무시 하는게 답이다.

나는 내 인생을 살아가는 것이기에 이제는 그 누구의 말
도 귀담아듣지 않는다.

그렇다고 해서 부모님의 말까지 무시하라는 뜻은 아니다.
부모님의 말은 내 가족이기에 믿을만하다고 본다.
그러니까 부모님의 말은 듣되. 남의 말은 귀담아듣지 말
자. 라는 뜻이다.

내가 사는 게 버거운 건데 남이 그런 말을 왜 하는 건지
모르겠다. 그냥 고민 좀 들어주면 어디 덧나나..

나는 정말 사는 게 버겁다고 느껴지면 산책을 한다.
산책을 하면 머릿속이 비워지는 느낌이 나서 정신이 맑
아진다고 해야 할까.

이런 힘듦이 있을 땐 편안히 휴식을 취하는 게 좋을 것
같다.

이 세상에서 이런 어린 나이에 상처를 받고 자란다는 것
은 큰 불행이라고 생각한다. 우리는 왜 하나같이 다 불행
하기만 할까

불행하나 없이 모든 사람들이 행복했으면 좋겠다.
가끔 극단적인 선택을 하는 사람들을 보면 정말 안타깝
다고 느껴진다. 조금만 더 빨리 그 마음을 알아줬더라면
그런 일이 안 생겼을지도 모르니까.

상처

우리가 받은 상처들은 씻어도 사라지지 않는다. 세균과 비슷하다고 해야 할까?
상처를 한번 받으면 타격감이 정말 크다. 우리의 마음은 콩알처럼 작은데 그 작은 콩알에 총알이 박히면 얼마나 아플지 상상조차 안 간다.

나는 그 상처를 없애기 위해서 많은 노력을 했지만 그 상처는 아물지 않았다. 그렇기에 상처라는 것은 우리에게 정말 큰 모욕감이 될 수 있다.

우리가 이 상처를 없애려면 먼저 알아야 하는 게 있다.

1. 한 귀로 듣고 한 귀로 흘리기
2. 깊게 받아들이지 말기

이 두 가지만 알아도 우리는 상처를 받더라도 덜 받을 수 있다.

남이 나에게 상처 주는 말을 할 때엔 항상 저 두 가지를 생각하고 상대의 말을 무시해버리자,

그리고 나에게 상처를 준 사람들은 무조건 그 상처가 다시 그 사람에게 다시 되돌아간다. 이 말은 즉, 나에게 상처를 준만큼 그 사람도 언젠가 똑같이 상처를 받게 된다는 것.

그러니 너무 걱정 말고 그 사람이 준 상처들은 다 무시하고 내 갈 길을 가자.

우리는 평범한 사람이기 때문에 상처를 받으면 쉽게 무너지는 건 당연하다. 안 그러는 사람도 있겠지만 대부분의 사람들은 무너지기 마련이다.

나는 내가 상처를 받을 때면 또 우울해지곤 했다. 나도 상처를 안 받고 싶은데 처음엔 그 방법들을 몰라서 많이 헤맸다.

하지만 지금은 방법을 알기에 잘 대처하긴 한다. 남이 나에게 상처를 주면 나는 '할 짓이 그렇게 없나? 난 나대로 사는 거니까 누가 뭐라 할 권리는 없어'라고 항상 머릿속으로 생각한다.

이렇게 생각하다 보면 나는 점점 더 강해지는 기분이 든다.

내 마인드를 먼저 바꾸면 내가 살아가는 데에 큰 지장은 없어지는 것 같달까?
왜냐하면 우리는 상처를 받으면 그 타격감이 남아있는 상태로 하루를 보낸다.

하지만 마인드와 생각을 바꿔보면 그 타격감이 그대로 남아있지 않고 하루를 보낼 수 있는 것이다.

우리는 생각이 바뀌어야 한다.
'넌 뭘 해도 안 돼'를 '난 뭘 해도 성공할 사람이야'라고 생각을 바꿔야 한다.

부정적으로 나에게 말을 한다면 나는 긍정적으로 생각해야 한다. 그렇지 않으면 우린 부정적으로 살아가는 수밖에 없다.

사랑이 힘들 때

우리는 종종 사랑 때문에 힘들어하는 경우가 많다. 그냥
평범한 일상생활에서도 힘들어하겠지만 연애를 한다면
더 많은 스트레스가 쌓인다고 볼 수 있다.
연애를 하는 것은 좋은 거지만 어떤 사람을 만나느냐에
따라 확연하게 다르다.

연애에 대해 잘 안다면 그 사람은 상대에게 잘 대해주고
자신의 마음을 다 넘겨줄 것이다.

그런데 연애에 대해 잘 모르는 사람을 만난다면 우리는 서로서로 상처를 받을 수밖에 없다.

연애 초반에는 정말 좋은 연애를 할 수 있겠지만 시간이 흐르다 보면 서로에 대한 변함을 느낄 수 있을 것이다.

하지만 그 변화는 사람이 달라진 게 아닌 원래 본성이라고 볼 수 있다. 정확하진 않지만 대부분의 남자들은 연애 초반에는 가식적인 모습을 보인다.

자기의 내면을 보여주기 싫어서가 아니라 연애할 때만 나오는 성격이라고 해야 할까?

그러다가 점점 그 사람에게 익숙해지고 편하다 보니 자신의 본 모습이 드러나는 것.

여자들은 이걸 '사람이 달라졌다'라고 느낀다. 하지만 남자들은 사랑하는 마음은 그대로인 것. 다만 자신의 본성이 나온 것뿐이다.

남자의 행동이 달라지면 여자들은 사랑이 식었다고 표현을 한다.

그리고 연애를 할 때에는 서로서로 이해해 줘야 하는 부분이 있다. 남자가 게임을 좋아한다면 게임할 시간을 조금이라도 주고 여자들이 쇼핑을 좋아한다면 여자들에게 쇼핑할 시간을 주고, 서로에 대한 배려가 있어야 연애도 길게 할 수 있는 것이다.

뭐든지 자기 뜻대로 연애를 하려고 하면 상대도 힘들어지고 인생 최대 안 좋은 기억으로 남을 수도 있다.

우리는 행복한 연애를 하기 위해 정말 많은 고민과 생각을 하지만 그건 혼자 생각한다고 되는 게 아니다.

무엇보다 중요한건 서로가 잘 맞아야 한다. 그리고 서로가 정말 좋아하고 사랑한다면 상대의 이상한 모습들까지 좋아해 주는 게 '진정한 사랑'이라고 할 수 있다.

무조건 이게 다 정확하다는 건 아니다. 사람들마다 생각하는 관점은 다 다르다는 건 기억을 하는 게 좋을 것이다.

사랑을 하다 보면 힘든 건 당연하다. 매일매일이 다 행복할 수만은 없다는 것.

우리가 매일매일이 행복하다면 그건 사람이 아닌 로봇이지 않을까?

사람은 매번 행복할 수만은 없다. 연애할 때도 마찬가지고. 어쩌다 가끔은 불행하기도 해야 우리가 잘 하고 있다는 것을 깨달을 수 있다.
매일매일이 행복하다면 그것도 문제가 있을 수 있지 않을까?

우리는 행복하기 위해 노력하지만 그 행복 사이에 가끔은 불행이 있어야 진정한 행복이라고 할 수 있다.

불행하다고 너무 우울해지지는 말자.

어린나이

나는 어릴 때부터 정말 많은 욕들을 먹어가며 살았다.
하지만 나는 그럴 때마다 '괜찮아지겠지'라는 생각으로
지금까지 쭉 버텨왔다.

내가 이 어린 나이부터 욕을 먹고 버텨온 건 아무도 모
를 것이다. 난 초등학교 2학년 때부터 정말 안 좋은 말
들을 듣고 자랐고 그걸 중학교 2학년 때까지 그라데이션
으로 점점 욕들이 심해져 가면서 나를 괴롭혀왔기에 혼
자서 그 많은 걸 감당해야만 했다.

난 형제자매가 없어서 누구에게 말도 못 하고 그냥 아무렇지 않은 척, 괜찮은 척하며 하루하루를 보냈고 그 하루가 지날수록 나에게는 그 상처들이 점점 커져만 갔다. 내가 욕을 먹는 이유는 나도 몰랐었다.

난 잘못한 것이 없었고 정말 평범한 생활을 하면서 나날들을 보내왔기에 그저 슬픔만 따라올 뿐이었다.

사람이라는 게 정말 잔인한 것 같다. 아무런 죄도 없는 사람들에게 상처를 주고, 상처를 받은 사람들은 너무 큰 모욕감에 자신의 정체성을 잃어간다.
나 같은 경우에는 '난 더 이상 살아갈 용기가 없는 것 같아'
라고 생각을 많이 했다.
난 왠지 더 이상 버틸 수 없을 정도로 많은 욕들을 먹었고 더 이상 내가 감당할 수 없을 정도여서 난 극단적인 생각을 많이 했다.

내가 이러한 생각을 하면 안 되지만 초등학생 때부터 몇 년간 쉬지 않고 먹은 욕들 때문에 난 더 이상 힘이 없었다.

밖에 나가고 싶지도 않고, 그래서 나는 매일 울었다.

아무도 모르게.

울음이 멈추지 않는다. 난 울음을 참는 성향이 있어서 눈물이 나올 때면 몇 개월을 꾹 참는다. 그러다가 울음이 터지면 분수대처럼 그 울음은 한 시간이 넘도록 멈추지 않는다.
이렇게 멈추지 않는 걸 보면 내가 그동안 얼마나 힘들었는지 알 수 있다.

하지만 내 곁에는 아무도 없었기에 내가 울고 있는지조차 몰랐을 것이고 이 울음마저도 혼자 보내야만 했다.
달래주는 사람 하나 없이.

이럴 때일수록 나의 부정적인 생각들은 커져만 갔다.
난 이 나이에 많은 걸 감당해야만 하니까 그 누구보다도 힘들었다.

그런데

나에게는 2024년 기준으로 10년 지기 친구가 있다. 그 친구는 나랑 유치원 때부터 같이 붙어 다녔다. 우리는 이사도 같이 가고 정말 자매처럼 지내는 사이였는데 중학교를 들어가고 나니까 학교도 달라지고 해서 서서히 멀어져만 갔다.

하지만 나는 그 친구와 더 멀어질까 봐 정말 많은 생각을 했다.

왜냐하면 그 친구는 내가 정말 아끼고 사랑하는 친구기 때문도 있고 내가 중학교 1학년 때 힘들어서 학교에서 울었던 적이 있었을 때 내가 걔한테 전화를 했는데 걔목소리를 들으니까 눈물이 끊이질 않았고 내가 우는소리를 들은 00이는 바로 내 학교로 달려 왔던 적이 있었다.

우리는 그런 사이였다. 서로 아껴주고 모든 걸 털어놓는 그런 사이?

하지만 나는 내가 힘든 걸 그 애한테 말하지 못했다. 난 그 친구가 나를 걱정하는 게 싫었기 때문이다. 어쩌다 잘못하면 그 친구에게도 피해가 갈 수 있기 때문에 난 내 슬픔을 그 누구에게 말하지 않고 그 친구에게 티내는 모습 없이 항상 웃으며 대답해 주곤 했다.

그러다가 내가 몇 개월 뒤 내 감정이 조금씩 내 마음이 가라앉을 때 내 10년 지기 친구에게 힘들었던 날들을 다 말해주었다. 00이는 그걸 왜 이제야 말 하냐고 나에게 야단치듯이 얘기했다.

그 친구가 하는 말은 이것밖에 기억이 안 난다.

'진작 말해줬으면 내가 도와주기라도 했을 텐데 왜 말 안 했어'

그 말을 듣고 나는 ' 그냥.. 뭐..'하찮게 대답을 했다. 그 친구는 여기서 한 마디를 더 하는데 내가 좀 감동을 먹었다.
'앞으로 힘든 일 있으면 말해 우리 베프잖아'
난 그때부터 생각했다. 이 친구는 나랑 영원히 함께여도 된다는 것을.

난 그때부터 내가 힘든 일이 있을 때마다 그 친구한테 얘기를 했다. 그 친구가 해준 말들이 있었기에 지금의 내가 있는 것이고 나는 앞으로도 쭉 이렇게 살아갈 것이다. 어린 나이에 감당하기 힘든 일이 있었지만 혼자 감당하지 않고 누구에게 기대며 지내니까 정말 많이 나아진 걸 알 수 있었다.

힘들 땐 혼자 감당하지 말고 누군가에게 기대는 것도 좋은 것.

항상 기억하자.

가족.. 그리고 나

SNS를 보면 참 우울한 사람들이 많은 것 같다. 그중에서도 공통적인 것은 대부분의 사람들이 댓글에 이런 말들을 적었다.

'내가 엄마 딸로 태어나서 미안해'

'이런 딸이라 내가 정말 미안해'

'엄마, 우리 다음 생에 꼭 다시 만나'

이런 댓글들이 정말 많다. 사람들이 우울할 때 의존하는 것은 인터넷.
가족이나 친구가 아닌 인터넷에 의존을 한다는 것은 아무한테도 기댈 수가 없다는 뜻이지 않을까?

아니면 기댈 수는 있지만 말을 쉽게 못 꺼내서 일수도 있겠지.

가족이라는 것은 서로 아픔을 느낄 때 곁에서 힘이 되어주고 서로를 돕는 게 가족이라고 할 수 있다. 가족은 이 세상에 하나뿐인 사람들.

부모님은 우릴 정말 사랑한다.. 우린 부모님에게 의지해도 된다는 것. 당연한 말이겠지만 요즘 세상을 보면 부모님이 아닌 인터넷에 의존한다. 난 그게 너무 슬프다고 생각한다.

힘들면 부모님께 말해도 된다. 인터넷보다 좋은 말들을 해주실 거고 도움을 많이 주실 것이다.

부모님은 언젠가 시간이 멈춘다.

그때가 되기 전에 부모님에게 모든 걸 털어놓고 힘든 일들을 말해 보자. 부모님도 부모님이지만 우리의 인생 선배니까.

우리가 겪었던 일들을 부모님도 똑같이 겪으셨을 거다. 항상 인터넷만 보고 위로를 받았다면 이번에는 방식을 바꿔서 부모님한테 위로를 받아 보자.

인터넷은 우리 부모님이 아니다. 그러니까 이제라도 생각을 바꿔 보자. 그럼 좋아질 것 이다.

그리고 부모님이 안 계셨더라면 우리도 이 세상에 없었을 거예요. 이 세상을 떠나려고 생각 말아요. 당신은 혼자가 아니에요.

그리고 항상 기억해요.
우리 곁엔 부모님이 있다는 것을.

우리가 바라는 것

우울함을 겪고 있는 사람들이 바라는 것은 정말 단순하다. 그건 바로 누군가가 나를 위로해 줬으면 하는 마음과 조용히 안아줬으면 하는 마음.
그리고 '고생 했어'이 한마디.

이건 우리의 바람이지만 힘든 걸 말하지 않으면 그 누구도 내가 힘들다는 걸 알아채지 못한다.
그래서 우리를 안아줄 수 없는 것이고 위로를 해주지 못하는 것이다.

사람들은 강아지처럼 눈치가 빠르지 않다.
인터넷을 찾아보면 강아지는 '인간이 원하는 것을 파악하는 능력이 뛰어나다'라고 나와있다.
강아지는 이렇게 눈치가 빠르고 잘 알아채지만

우리는 같은 사람인데 서로가 원하는 것을 파악하지 못한다.

동물이랑 사람이랑은 정말 다르고 다르지만 어떻게 보면 사람보다는 동물들이 사람의 심리를 잘 파악하지 않을까?

난 가끔 이런 생각을 한다.

'내가 강아지였으면 좋겠다.'

왜냐하면 강아지들은 인간에게 사랑받고 이쁨을 받는다. 난 그런 걸 볼 때면 정말 부럽다. 강아지들도 가끔씩 스트레스는 받겠지만 지금 나의 스트레스보단 덜 받을 것 같기도 하고.. 이런 걸 생각하면 나보다 잘난 친구들보다는 강아지들이 부럽다.

강아지들은 말을 안 하고 가만히만 있어도 사람의 포옹을 받을 수 있다.

하지만 우리 같이 힘든 사람들은 '안아줘', '고생 했어' 이 말들을 직접 해달라고 말하지 않는 이상 그 행동을 받기 어렵다.
그래서 우리는 그 말을 직접 꺼내긴 좀 그러니까 사람의 손길만 꿋꿋이 기다린다.

우리가 아무리 강아지처럼 기다려도 그 손길은 눈길조차 안 준다. 그러다 보면 우리의 우울함은 점점 더 커져만 간다. 그럴 때 나는 이렇게 행동했다. 학교에서 슬픈 일이 생겼을 때 눈물을 참지 않고 대놓고 울었다.

그러면 친구들은 우는 나의 모습을 보고 달려와서 따뜻하게 안아주곤 한다.

나도 처음에는 대놓고 우는 게 정말 없어 보이고 초등학생 같아서 울지 않고 울음을 꾹 참았다.

하지만 내가 생각을 바꾸고 대놓고 우니까 애들은 한결같이 나에게 달려와 줬다. 난 정말 행복했다. 그동안의 우울함이 풀리는 느낌이라고 해야 할까?

애들이 나를 생각하는 마음을 알 수 있었던 하나의 방법인 것도 같다.
난 나처럼 우울하고 힘든 사람에게 전하고 싶은 말들이 있다.

'오늘도 버텨줘서 고마워요'

'고생 했어요'

'수고 했어요'

'오늘은 잘 버텨줬다면 내일은 우리 잘 살아봐요'

당신은 정말 대단한 사람이라는 걸 잊지 마요.

'죽고 싶다'라는 말의 의미

우리는 삶을 포기하고 싶을 때면 죽고 싶다는 말을 많이 한다. 하지만 그 말은 정말 죽고 싶다는 뜻이 아닌 '도와 주세요'라는 뜻과 같다고 생각한다.
우리는 그 힘듦을 정말 견디기 어려워서 이런 험한 말이 나온다.
이 험한 말을 하면 안 된다는 걸 알고 있지만 표현을 정 확하게 할 단어가 떠오르지 않기에 죽고 싶다는 말을 표 현한 것 아닐까?

나는 이런 말을 하는 사람들을 보면 도움을 주고 싶다. 난 그 누구보다 공감해 주고 위로해 줄 자신이 있기에 누군가의 곁에 있어주며 그 애를 지켜내고 싶다고 해야 되나

아무튼 나는 이런 생각 하는 사람이 없어졌으면 하는 마음일 뿐이다.

모든 사람들이 다 그렇겠지만 그 마음은 그 누구에게도 정확하게 전달할 수가 없다. 난 지금 힘듦을 겪고 있는 사람들에게 도움이 되고자 지금 이 책을 만드는 것이기도 하다.

한 사람의 인생을 되찾기 위해, 또는 한 사람을 살리기 위해.
'죽고 싶다'라는 말은 이제 쓰지 않기로 해요.
죽고 싶다를 '살아야지'라고 바꿔봐요 우리.

당신의 미래가 밝게 빛나도록 응원해 줄게요.

과거

과거에 대해 자책하지 말아라. 이미 지나간 일이니 더 이 상 신경 쓸 필요 없다.

가끔가다가 지난 일들이 떠오를 때 후회하지 말아요. '내 가 그렇게 행동하지 말걸.. '이라고 생각하는 순간 더 우 울감에 빠질 수 있어요.
이럴 때는 '지나간 일이니까 어쩔 수 없지'라고 생각을 해봐요. 우리가 타임머신을 타고 과거를 가지 않는 이상 그 과거는 다시 되돌릴 수 없어요.

과거는 과거일 뿐, 현재에 더 집중해 봐요.
누구나 과거에 대해 후회할 때가 있겠죠. 후회하는 마음
이 커지면 우울감에 빠지게 되고 우울감에 빠지게 되면
힘들어질 수가 있어요.

과거에 대해 너무 깊은 생각 말아요. 당신은 좋은 선택을
한 거예요. 모든 항상 긍정적이게 생각해요.
부정적으로 생각한다면 그 부정은 긍정이 될 수 없어요.

과거는 이미 지난날이니까 생각하지 말고 현재와 미래에
집중해 봐요.

힘든 마음을 알아주세요

나의 아픔을 말하지 않으면 사람들은 내가 힘들다는 걸 모른다. 우리가 힘든 걸 말을 해야지만 사람들은 우리를 위로해 주고 도움을 줄 것이다.
하지만 우리는 힘들다는 걸 말하지 못하고 혼자서 끙끙 앓기만 한다.

나도 처음엔 힘들다는 걸 말하지 못했다. 친구들이 이상하게 생각할 것 같은 마음 때문에 나는 혼자서 고민도 털어놓지 못하고 하루하루를 견뎠다.

내가 힘들다는 걸 말하지 못하니까 내 친구들이 알아서 눈치채고 힘들다고 물어봐 주기를 기다렸다.
하지만 내가 티를 안내는 상황에서 눈치를 챈다는 건 정말 어려운 것이다.
티를 조금이라도 내야지만 애들이 눈치를 채는데 나는 티 내고 있지 않으니 아무도 알아보지 못했다.

애들이 눈치 채주기를 기다릴 때면 기대하는 마음에 난 잠시 우울함을 잊어버린다. 나는 우울한 마음이 없을 때 평소에는 들어가 보지도 못한 에O크를 들어갔다.

그 앱을 들어가서 링크를 따고 내 인O타 스토리에 질문해 주라는 내용을 올렸다. 그러고 한참 뒤 내 에O크에는 응원해 주는 말들과 위로로 가득 차 있었다.
나는 그때 잠시 뇌 정지가 왔다.
난 아무것도 티 낸 게 없는데 왜 이런 위로해 주는 메시지들이 온 건지 잠시 생각을 해봤다. 그러나 그 순간 떠오르는 게 하나 있었다.

그건 바로 며칠 전 스토리에 내가 힘들다는 표시를 해놓았던 것..

난 이제야 이해했다. 이렇게 표현을 하면 위로를 해준다
는 것을.
하지만 나에게는 위로도 잠시뿐이었다. 그날은 위로의 메
시지로 가득 찼지만 다음날부터는 욕들이 달리곤 했다.
난 다시 그때부터 우울해지기 시작했다.

왜 나에게는 이런 일들이 발생하는 것인지 생각을 해도
아무런 생각도 안 났다. 난 잘못한 것도 없는 상황이고
그냥 어울리던 친구들과 평범한 생활을 했을 뿐이다.

하지만 그건 나의 착각이었던 것 같다. 난 당시 어울리는
친구들이 그냥 재미있고 착한 친구들이라고 생각했지만
제3자 입장에서는 내가 어울리던 친구들을 일진들이라고
생각을 한 것 같다.

하지만 그건 나도 인정, 그렇지만 겉모습만 그렇지 직접
어울리면서 놀아보면 착한 친구들이었다. 몇몇 친구들도
걔네들이 겉모습만 그렇다는 걸 인정했다.

그래서 난 그 애들이 정말 재밌고 좋은 친구들이라고 생각했기에 멀어질 생각은 안 했다.
하지만 에0크에 적힌 말들이 자꾸 떠올라서 나는 그 친구들과 어울리지 말아야 하는지 정말 많이 고민했다.

왜냐하면 나는 그 친구들과 어울린다는 이유로 많은 욕을 먹고 있었기 때문이다.
며칠 뒤, 나는 그 친구들과 멀어지기로 마음을 먹었다.
그러나 나는 말하고 아예 손절 쳐버리는 것은 싸움으로 번질까 봐 두려움이 있었기에 자연스럽게 멀어지는 걸 택했다.

난 그 친구들과 거리를 두면서 서서히 멀어지게 되었고 이제야 꼬여있던 일들이 술술 풀리기 시작했다.
욕도 안 먹고 좋은 친구들도 다시 사귀고 나는 행복을 되찾을 수 있었다.

그리고 나는 다시 깨달았다. 내가 힘든 걸 밖으로 표출해야 위로도 받을 수 있고 나의 문제점과 이에 대한 정답을 찾을 수 있다는 것을.

그냥 말 없이 안아주라

어느 날 나는 틱0을 들어갔다. 앱을 들어가는 순간 영상 제목이 '그냥 너무 힘들어 누가 좀 알아줬으면 좋겠다'라는 제목이었다.

나는 제목을 보고 곧바로 댓글 창을 열었다. 댓글 창을 여는 순간 정말 많은 사람들이 힘듦을 겪고 있다는 걸 한눈에 알아볼 수 있었고 나는 힘든 사람들의 마음을 알아보기 위해 처음부터 스크롤 하여 확인하였다.

댓글을 다 본 후 나는 사람들이 힘들 때 무슨 마음인지 또는 무엇을 원하는지 알아냈다.
그건 바로 '그냥 말없이 꽉 안아줬으면 좋겠다.' 이거 하나다.
이 댓글에는 공감 수도 어마어마했다. 그만큼 사람들은 안아주기만 해도 위로를 받는다는 느낌에 마음이 안정된다는 말이지 않을까 싶다.

그리고 사람들은 힘듦을 겪을 때 누구에게 기대고 싶어하기도 한다. 하지만 누군가는 기댈 곳이 없다고 말하기도 하고 또 다른 누군가는 감히 내가 기대도 되는 건지 많이 망설이곤 한다.

나는 이렇게 생각한다. 정말 많이 힘들다면 기대는 게 맞다고,
혼자 끙끙 앓는 것보단 위로받으며 기대는 게 낫지 않을까?
그리고 만약 기댈 곳이 없다면 상담받으면서 하소연하는 것도 나쁘지 않다.

그리고 나는 사람들이 무조건 기대려고만 하지 않았으면 좋겠다. 힘들면 힘들 때일수록 자신이 더 강해져야 하는 것이고 강해지지 않고 그 자리만 맴돈다면 분명 기댈 사람이 사라질 때 또 다른 사람을 찾아 나설 것이기 때문이다.

계속 그렇게 찾다 보면 자신은 더 약해지는 것이다.
언제까지 기댈 거고 언제까지 찾을 것인가?

자신이 강해져야 한다는 것은 잊지 말자.

인생은 혼자 살아가는 것이다.
힘들 때도 혼자 버텨낼 수 있는 능력이 돼야
이 삶을 살아갈 수 있을 것이고
누가 건드려도 한방에 무너지지 않는
그런 사람이 될 것이다.

자신이 강해져야 한다는 것은 잊지 말자.

우울증

우울증은 극복하기 어려운 병이라고 해야 할까?
사람들은 감정을 쉽게 다스리지 못한다.

나는 내가 우울증을 가지고 있다는 것을 몰랐다. 초등학교 6학년 때부터 그냥 우울하고 아무것도 하기 싫고 무기력해지는 게 있었는데 '그냥 단순한 사춘기겠지'라는 마음에 나는 이렇게 약 1년간을 버텨온 것 같다.

나는 그냥 저절로 나아질 줄 알았지만 그건 나의 착각이었던 것이다.
내가 우울증을 앓고 있다는 것을 알았을 때는 중2 때 처음 알았다.

중2 때는 내가 정말 힘들고 많은 아픔을 겪었었는데 이 아픔 때문에 나에게 '우울증'이라는 병이 찾아온 것 아닐까?

나는 그 아픔을 견딜 수 없었다. 그래서 나는 병원을 찾아가서 진단을 받고 약을 먹었다. 검사 결과는 불안 증세와 긴장도가 너무 높으니 쉬라는 진단을 받았고 나는 필요시 복용 약과 잠을 취할 수 있게 도움을 주는 약도 먹었다.

난 이 사실을 정말 친한 애 몇 명 빼고는 아무에게 말하지 않았다. 이 사실을 알린다면 나는 더 욕먹을 것을 알고 있었기에 티내지도 않고 평범하게 행동했다.

나는 내가 이렇게 사는 것이 정말 힘들고 견디기 버거웠다.

난 고작 15살밖에 안됐는데 이런 아픔을 겪고 있다는 건 정말 큰 불행을 겪고 있는 것과 같았기에 앞으로 나아갈 미래도 없는 것만 같았고 더는 이렇게 살고 싶지 않았다.

그래서 나는 내가 바뀌기로 결심을 했다. 이 우울증을 계속 업고 갈 수는 없었기 때문에 먼저 나의 마음가짐부터 바꾸고 그다음에는 마인드를 바꾸려고 정말 많은 노력을 했다.

내가 바뀌지 않으면 이 병도 마찬가지고 나의 아픔은 평생 변하지 않을 것만 같았다.
나는 저녁만 되면 우울해져서 방에서 한 발자국도 움직이질 않았었다. 하지만 난 내 생각을 바꾸기 위해서 우울증이 찾아오면

'내가 왜 우울해하지? 내가 걔네들 때문에 우울할 필요 없는데 내가 더 당당해져야 하고 잘 지낸다는 걸 보여줘야 해 난 할 수 있어'라고 긍정적이게 생각을 바꿨다.

난 우울함이 찾아올 때마다 저 생각을 했는데 정말 많은 효과를 볼 수 있었다. 물론 우울증이 다 나은 건 아니지만 어느 정도 좋아진 게 티 날 정도로 바뀌었기에 난 전보다 환하게 웃고 당당하게 밖을 나갈 수 있었다.

하지만 한 가지 문제점이 있다면 내 불안함과 긴장감은 나아지지 않았다. 나는 학교만 가면 손이 떨리고 심장이 정말 빨리 뛰었었다. 그래서 보건실도 많이 갔고 수업도 잘 듣지 않았다.

어느 날은 영어선생님이 수업하시는데 문장을 알려주시겠다고 볼펜을 티브이에다가 가져다 대시더니 '딱딱딱' 여러 번 반복해서 치셨다.

난 그 소리를 듣고 너무 불안해져서 보건실 간다고 뛰쳐나왔던 적이 있다.

나는 나의 불안 증상을 고치기엔 너무나도 힘들었다. 난 이 증상이 다 낫기만을 기다렸지만 학교를 나가는 동안은 낫지 않았고 방학이 돼서야 서서히 나아지기 시작했다.
학교를 안 나간다는 걸 인지하고 있으니까 난 더 이상 불안할 일이 없었던 것이다.

이제 나는 우울증이 가끔가다 올 때면 감정 조절을 컨트롤할 수 있게 되었다. 이 증상은 긍정적인 생각만 가지고 있다면 나아질 수 있을 것이다.

하지만 불안 증상을 극복하기에는 정말 많은 노력이 필요했다.

"당신이 지금 우울증에 시달리고 있다면 극복할 수 있어요. 우선 생각부터 바꿔봐요. 부정적인 생각들만 하다 보면 더 우울해질 수 있어요.

항상 생각은 긍정적이게 하려고 노력해 봐요. 당신은 당신을 믿어야 해요. 자신에게 믿음을 주지 않으면 나아지기 어려울 거예요.

항상 자신을 믿어주고 긍정적인 마인드로 하루하루를 보내봐요. 할 수 있어요!"

새로운 시작

2024년 1월 초반 우울증을 극복해 내고 다시 새로운 인생을 시작하기로 마음먹었다. 그렇다고 아픔이 리셋되는 건 아니지만 다시 태어난 마음으로 새로운 삶을 살아가야 미래가 밝아지지 않을까?

우린 우리의 미래를 알 수 없다. 자신의 미래는 자신이 만들어 가는 것이기에 나는 정해진 미래가 없다고 생각한다. 그렇지만 사람들은 '우리의 미래는 정해져 있다'라고 비슷한 표현을 하기도 한다.

그래서 나는 내 삶을 내 방식대로 만들어 가기로 다짐했
고 지난날의 아픔들은 없던 일처럼 여기기로 했다.

난 만약 모든 것들이 다시 돌아가도
가던 길을 멈추지 않고 끝까지
걸어갈 것이다.

자신의 꿈이 있다면 그 꿈을 향해
포기하지 않고
모든 힘을 다해서
승리할 때까지 맞서 싸워보자.

이제 시로 작성될 것입니다

밝은 척, 괜찮은 척

힘들다고 감추지 말 것
애써 밝은 척, 괜찮은 척 다 해도
남는 건 나의 아픔뿐

친구들이 나를 떠날까 걱정한다는 건
필요 없는 걱정인 것

친구란, 힘들 때 곁에 있어주는 게
진정한 친구이다
만약 힘들다고 말했을 때 그 친구가 떠난다면
그건 친구가 아니다

그냥 미끼 먹고 도망간
물고기라고 생각해라
언젠가 미끼물고 놓지 않는
물고기가 올 것이다

친구관계

친구관계는 엉킨 실처럼 배배 꼬여있다
그래서 참 복잡하다

도저히 풀어지지 않는 실,
대체 언제 풀릴까

엉킨 실을 푸는 것도 지치는데
친구관계는 언제쯤 풀릴까

정말 어렵고 복잡하다
난 항상 불행한 것만 같다

친구관계가 복잡하지 않으려면
어떻게 해야 할지도 모르겠고..

그냥 복잡하다는 말 밖에 안 나온다

위로

위로가 필요한 날
나는 위로를 받지 못했다

내 곁에는 친구도 가족도 아닌, 오로지
말 못 하는 강아지뿐

왜 내 곁에는 위로해 주는 사람이 없을까?
나도 위로가 필요한데 아무도 알아주지 못한다

내가 티를 안내서일까?
아니면 모른 척하는 걸까

사람들은 나에게 힘들다는 걸 말하라고 한다
하지만 나는 말을 꺼내지 않는다

그냥 무섭다 날 떠날까 봐

ㅎ ..

나도 내가 힘들다는 걸 말하고 싶은데
모두가 날 떠날 거라는 생각 때문인지
차마 말하지 못하겠다

나도 내가 답답하다
힘들다고 말하면 되는걸
고작 두려움 때문에 말하지 못한다는 걸

정말 큰 위로까지 바라진 않는다
그냥 알아줬으면 좋겠다

소리 내서 우는 법이 뭐예요?

어느새 소리 내어 우는 법을 까먹었다
그냥 조용히 숨어서 눈물만 흘릴 뿐

마치 쥐구멍에 숨어버린 것 같다
고양이에게 쫓기는 쥐처럼..

언제쯤 소리 내어 울 수 있을까
사람들 시선 때문에
아니 스트레스 때문에..
난 고양이가 아닌
사람들에게 쫓기는 것 같다

항상 숨어버리는 내 모습을 보면
정말 나 자신이 밉다

숨지 않아도 울 수 있는데
왜 숨는 걸까

이젠 숨어서 우는 것도 지친다
대놓고 울고 싶다

울고 싶지 않아

난 더 이상 울고 싶지 않다
나 자신이 찌질해 보인달까

언제쯤 내 울음을 멈출 수 있을까
내 일상은 울음이 되어버렸다

하루라도 우는 날이 빠지면 이상할 정도
매일매일 내 방에서는 분수가 일어난다

나는 멈추고 싶은 눈물을 급히 닦아보지만
닦아도 닦아도 그 울음은 멈추지 않는다

감히 내가 울어도 되는 게 맞는 걸까
나보다 더 힘든 사람이 얼마나 많은데

내가 너무 한심하다
한심해서 그만 울고 싶다

과거로 돌아갈 수만 있다면

과거로 돌아갈 수만 있다면 좋았을 텐데
내가 그때 왜 그랬을까

타임머신 하나 없나
과거로 돌아가서 모든 걸 멈춰버리게
지금의 내 불행을 끝내기 위해

내가 그때 그러지만 않았더라면
그 말을 하지 않았더라면
그 행동을 하지 않았더라면
지금의 나는 행복했을까?

그때 내가 왜 그랬지
과거로 돌아가고 싶다

미안해하지 말자

내가 잘못한 게 없다면
쓸데없이 미안해하지 말자

미안할 필요 없어
내 잘못 아니니까

왜 내가 미안해해야 해
잘못한 게 없는데

습관처럼 입에 배어버린 말
'미안해'

이젠 미안해하지 말자
계속 사과하면 호구 같으니까

사과는 잘못했을 때만.

예전 내 모습

내 모습이 그립다
그땐 정말 좋았는데

낙엽이 내 옆을 스쳐가기만 했는데
그걸 보고 웃던 나

이젠 입꼬리 올라간 모습 보기 어렵네
언제쯤 다시 웃을 수 있을까

원래는 웃는 게 쉽고 우는 게 어려웠다면
이젠 우는 게 쉽고 웃는 게 어렵다

내가 다시 웃는 그날이 온다면
그건 언제쯤일까

울음이 웃음으로 바뀌는 그날까지

무서워하지 마

무서워하지 마
네가 왜 무서워해
그럴 필요 없는데

괜찮아 어깨 펴
쫄지 마

쫄면 네가 지는 거야
이겨야지, 맞서 싸워야지.
안 싸우고 당하기만 하게?

끝까지 싸워 포기하지 말고
난 너 믿어

져도 이길 때까지 싸워보는 거야
잘 하고 있어

지친 밤

밤만 되면 항상 지친다
무기력 해지고 생각들이 많아진다

왜 그럴까
너무 지친다

난 밤이 오지 않았으면 좋겠다
그래야 덜 우울하니까

이 밤이 찾아오면
난 정말 미쳐버릴 것 같다

언제쯤 날 놓아줄 수 있니
이 밤을 탈출하고 싶다

행복이란

행복이란 뭘까
원래 뭔지 알았는데
금세 잊어버렸네

행복한 순간이 있긴 했을까?
기억이 나질 않는다

행복은 날 찾아오지 않아
내가 싫은 걸까?

나 좀 좋아해 주라
행복이란 게 뭔지 알 수 있게

빨리 행복이란 게 찾아와줬으면 좋겠다

경험

현재의 아픔을 경험이라고 생각하자
나중에 겪을 아픔을 미리 체험하는 거야

너무 걱정하지 말고
현재의 집중하자

지금의 불행을 나쁘데 생각하지 말자
그럼 너무 슬프니까

누구든 다 겪는 아픔일 거야
우린 다 같은 사람이니까

어른이 되면 이 아픔의 몇 배는 될 것이다
이건 별거 아니야 다 지나가는 아픔일 뿐

너무 우울해하진 말자
그럼 나중에 감당 못하니까

소외

소외 당해도 괜찮아
그건 너 잘못이 아니라 걔네 잘못이니까

네가 부러워서 그래
잘난 사람 뒤에서 욕하는 것처럼.

걔네보다 더 좋은 친구를 사귀어
너를 아껴주고 좋아해 주는 친구를

소외는 말이야
누구나 당할 수 있어
너무 슬퍼하지 마

넌 충분히 사랑받을 수 있는 사람이야
다만, 아직 그 단계가 오질 않은 것뿐이야

복수

인생 최대의 복수는 성공하는 것이다
날 괴롭힌 이들에게 잘 산다는 걸 보여주고
걔들의 반응을 살피자

잘 사는 모습을 보고 화가 나있다면
완전 성공

잘 사는 모습을 보고 평범 질투라면
성공

잘 사는 모습을 보고 아무렇지 않아 한다면
실패

복수를 제대로 하려면
그들보다 잘 살면 된다.

나는 나대로

내 인생은 나대로 살자
남의 말들은 신경 쓰지 말고

누구도 나를 비난할 권리는 없다
난 이렇게 태어난 것이고
앞으로도 이렇게 살아가야 한다

언제까지 남의 말 듣고 살래
유치원생도 아니면서

넌 너대로 살아
그게 가장 멋있는 거야

기억해
네가 가장 멋있다는 걸

이런 나라서 미안해

이런 나라서 미안해
못난 나라서

공부를 하더라도 성적이 바닥난
못난 나라서 미안해

항상 못나기만 한 나라서
또 미안해

나도 못나고 싶지 않은데
못난 걸 어떡해

'못난 게 너 잘못은 아니야
넌 지금도 충분해

못나면 어때
넌 지금 있는 그대로가 제일 멋져'

강해지자

우리가 이 힘듦을 이겨내려면
강해지는 수밖에 없다

사람들은 약한 사람을 건드리고
강한 사람은 건드리지 않는다
자기들이 상대하지 못하니까

우린 강해져야 한다
아무도 건드리지 못하게

약자가 되지 말자
그럼 항상 불행하기 마련이다

포기하지 마, 그럼 지는거야

포기를 하는 순간
싸움에서 지는 거나 마찬가지다

포기를 한다고 해서
모든 일이 종료되지는 않는다

상황이 종료될 때까지
온 힘을 다해서 맞서 싸우자

만약 싸움에서 패배를 하더라도
자신에게 죄책감 들게 하지 말 것

이기는 게 중요한 게 아니다
포기하지 않고 끝까지 싸우는 게
중요한 것

실수

사람은 누구나 실수를 한다
다만, 단점이 있다면 그 실수를
다시 되돌려 놓지 못한다

우린 말실수를 하지 않으려면
항상 신중해야 한다

말할 때도 3번씩
생각하고 말하자

그런다면 실수를 줄일 수
있을 것이다

실수했다고 너무 자책하지 말아라
사람이 실수하는 건 당연한 것이니

날씨

우리의 감정은 참 날씨 같다

하늘에서 비가 내릴 때면
사람들의 우는 모습을 나타내는 것 같다

이번엔 하늘이 맑다면
행복한 모습을 나타내는 것만 같고.,

마지막으로 하늘이 흐리다면
기분이 꿀꿀하다는 표현을 하는 것 같다

날씨도 감정을 가지고 있는 것 아닐까?

힘내라는 말은 하지 마요

우울한 사람에게 힘내라고 하지 말아요.
그건 나에게 더 큰 상처가 될 수도 있으니까.
'힘내'라는 말은 도움이 되질 않아요.
그리고 나는 도움이 아닌 위로를 받고 싶은 것뿐이에요.

나는 항상 힘든 사람에게 '힘내'라고 말하지 않는다.
왜냐, 관심이 없어 보일 수 있고 그 사람에게 더 큰 상처
를 불러일으킬 수 있기 때문이다.

우리 약속해요. 힘든 사람에게 '힘내'라는 말보단
'괜찮아? 많이 힘들었지.. 그동안 고생했어'라는 말을 해
주기로.

우리는 행복하게 살 수 있어요. 다만 지금은 쉬어간다고
생각해요.
모두가 겪는 그런 아픔이니까요. 저는 당신을 믿어요.

힘들다고 자책하지 말아요. 그럼 당신만 더 힘들어지니까요.

힘들 땐 아무 생각 말고 취미생활하며 쉬어 봐요.
취미생활이 없다면 이번 기회에 취미를 찾아보는 것도 나쁘지 않아요!

찾아도 없다면 잠을 푹 자요. 맑은 정신으로 하루를 이겨 나가야죠!

괜찮아 울어도 돼

울음을 참지 마요. 당신은 충분히 울 수 있는 자격을 가진 사람이니까요. 당신은 울어도 저 하늘에 빛나는 태양처럼 아름답고 예쁜 사람이에요.
그니까 울고 싶을 땐 아무런 생각 말고 편히 울어요.
그게 내 바람이에요.

다른 사람도 당신처럼 힘들 수도 있고, 아니면 더 힘들 수도 있다고 생각해서 내가 울어도 되는 사람인가? 라고 생각 말아요.
제일 중요한건 자기 자신이 우선이에요.

저렇게 생각 한다는 건 남의대한 배려가 아닌, 자신을 더 망가지게 할 뿐이에요.

남을 생각 하는 건 뒤로하고 자신을 먼저 챙겨봐요.
남을 배려한다고 해서 자신이 나아지는 건 아니니까요.

기억해요. 당신은 세상에서 가장 빛나는 별 이라는 것을

포기하지 말기

왜 포기해요? 얼마나 살았다고.
포기라는 말은 배추 셀 때나 하는 말이에요.
포기하지 말아요.
이겨낼 수 있잖아요. 부정적으로만 생각하면 나중엔
극단적으로 변할 수도 있어요.
우리는 마치 유리 같기도 해요. 사람은 쉽게 상처를 받기
에 금방 무너지곤 하죠. 그렇지만 상처를 받은 유리도
고칠 수 있는 것처럼 우리도 극복할 수 있을 거예요.

우리 쉽게 포기하지 말아요.
앞으로 나아갈 미래가 밝게 빛나도록 응원해 줄게요.
물론 365일 내내 행복할 수만은 없어요.
불행하기도 하겠죠. 그럴 때 정말 포기해서는 안 돼요.

그럼 당신은 무너지는 것과 같아요. 무너지지 말고
꼭 이겨 내봐요. 곁에서 지켜볼게요.

힘들었을 너에게

안녕 많이 힘들지 그동안 고생했어
힘들 때마다 혼자 버티고 끙끙 앓았을 텐데
지금까지 버텨줘서 고마워
어린 나이에 이러한 힘듦을 감당하지 못했을 텐데
너답게 이겨내 줬네

어떠한 아픔이 너를 힘들게 하고 있는지는 몰라도
그 아픔은 곧 지나갈 거야
나는 네가 이렇게 살아있다는 것만으로도
정말 감사하다고 느껴
너는 이 세상에서 가장 빛나는 별과 같아
환히 웃고 있는 너의 모습은 그 누구와 비교도 안 될 정
도로 예쁘고 아름다워 그러니까 앞으로 울상 되지 말고
웃상으로 웃는 너의 모습 기대할게

가끔은 우울해도 괜찮아

사회생활을 하다 보면 우울해지는 날이 한 번쯤은 있죠?
괜찮아요. 가끔은 그 우울함이 당신의 행복일지도?
너무 행복하게 지내다가 가끔은 우울해져도 난 괜찮다고
생각해요.
왜냐하면 그 우울함은 당신이 그동안 너무 행복했기에
생기는 우울함이라고 생각하거든요.

잠시 동안의 우울함을 너무 깊게 생각 말아요!
쉬어 가야 하는 단계니까요.

그래도 너무 많이 쉬면 우울증으로 찾아올 수 있어요.
타이밍 잘 맞추기!

리듬게임처럼 우울함이 안 오는 타이밍을 맞춰서 다시
행복을 찾아 가 봐요!
그 행복은 지금 당신을 기다리고 있을 거 에요.

우리, 기다리고 있는 행복을 행복이라고 불러봐요!
행복이가 당신을 기다리느라 팔이 빠질 수 도 있으니까
빨리 행복을 찾아 가 봐요!

빛나는 존재

당신은 이 세상에 태어난 순간으로부터
가장 빛나는 사람이 된 거예요.
그 누구도 당신을 욕할 권리는 없어요
만약 누군가가 당신을 욕한다면 그 사람은
빛나지 않는 사람인 거예요.
그 빛나지 않는 사람들 중에 당신은 가장 빛이 나잖아요.
그건 행운이에요.

당신은 누구보다 빛날 자격이 있고 누구보다 행복할 가
치가 있어요.
지금 바깥을 봐요. 무언가 빛이 나는 게 있죠?
그건 바로 당신이에요. 하늘에 떠 있는 태양 같은 사람.

태양은 항상 빛이 나요. 단 하루도 빛이 사라지는 날이
없어요.
그건 바로 당신이 항상 빛나는 존재이기에 하늘에 떠 있
는 태양도 빛이 날 수 있던 거예요.

당신이 없었다면 태양도 빛이 나지 않았을 거예요.
당신이 항상 빛나는 존재라는 걸 잊지 말고
하루하루를 보내 봐요,
그럼 당신은 태양보다 더 밝은 사람이 될 수 있을 거예
요.

마인드 바꾸기

우울할 때 극복을 하려면 우리는 마인드부터 바꾸는 거
어때요?

누군가가 나를 욕한다면
'할 짓이 없나 보다'

갑자기 과거의 실수가 떠올랐을 땐
'어차피 지나간 일인데 어쩌겠어'

누군가 나에게 상처를 줬을 땐
'네가 뭔데 나를 함부로 대해?'

남이 나에게 주는 상처들을 신경 쓰지 말아요.
왜 남이 하는 말을 신경 써요.

당신이 잘못한 것도 없으면서.

마인드부터 바꿔 봐요.

남을 신경 쓸 빠엔
당신에게 신경 써요.

당신이 지금 어떤 상태인지 이것부터 알아야
그다음 단계를 진행하죠.

나는 나대로

당신은 당신대로 사는 거예요.
그 누구도 당신에게 뭐라 할 권리는 없어.
다른 사람들 말은 신경 쓰지 마요.

저의 경험담을 이야기하자면
저는 남이 하는 말 이면 모든 신경 쓰곤 했어요.
남이 나에게 상처 주는 말을 했다면, 그걸 하루 동안
생각하고 혼자 우울감에 빠져서 더욱 깊은 바다에
빠져드는 거죠.

하지만 현재의 지금은 남이 상처 주는 말과 나를 지적하
는 말을 한다면 더 이상 신경 쓰지 않아요.
나는 이렇게 태어난 것이고 그 누구도 뭐라 할 자격이
없기에 나는 나대로 사는 거예요.

당신도 마음을 굳게 먹어봐요.
노력을 하면 그 노력은 당신을 배신하지 않을 테니까요.
저는 당신을 믿어요.

남의 말에 귀 기울이지 말고 당신의 인생을 살아가세요.
오늘부터 노력해 보는 거 어때요?

인간관계

인간관계란, 마치 줄줄이 소시지 같다 랄까요?
줄줄이 소시지는 옆에 나란히 붙어있기도 하지만
붙어있는 소시지가 떨어지기라도 한다면
떨어진 소시지는 상처를 입을 수도 있고 그 소시지 친구
들은 다시는 떨어진 소시지와 마주하지 못할 수도 있지
요.
그렇다는 건 우리 인간관계도 소시지 같다는 거예요.

인간관계도 소시지처럼 한 명이 갑자기 사라진다거나
떨어지는 경우도 많잖아요.
이러한 걸 보면 인간관계라는 것은 참 복잡하죠

친구랑 멀어질까 봐 두렵고, 혹시 모를 싸움이 일어날까
봐 무섭고 이러한 생각들을 가지게 하는 게 정말 수갑
같아요.
하루 종일 이런 생각들을 머릿속에 묶어놓잖아요.

수갑은요. 누군가 열쇠로 풀어줘야만 풀려나요.
우리 생각도 그래요.
누군가 또는 내가 직접 이 답을 찾지 않으면 그 생각들
은 머릿속에서 갇혀 살게 돼요.

우리 인간관계를 너무 깊게 생각 말아요.
인생은 죽을 때까지 혼자에요.
깊은 생각을 하지 말고 쉽게 쉽게 생각해 봐요.

당신은 할 수 있어요

글귀로 작성됩니다

불행은 사라지고
행복이 오는 그날까지

모든 게 내 잘못 같다
내가 사라진다면, 모든 게 끝날까?

"괜찮아, 잘될 거야" 라고 겉으로 위로해주기 보단
묵묵히 이야길 들어주는 게 진정한 위로이다.

약자가 되지 말자
강자가 되어야 세상과 맞서 싸울 때
이길 수 있으니까

어릴 땐 순수했지만
지금의 나는 순수함을 잃어버린 채
살아가고 있다

가족을 1순위로 사랑하되, 자신을 0순위로 사랑하자

오늘 하루도 힘들었을 너에게,
수고 했어

넌 할 수 있어, 안 하는 것뿐이야

무슨 일이 있어도 난 항상 너 편이야

슬퍼하지 마
울지 마
네 눈물이 아까워

밤하늘에 떠 있는 별을 보면 네가 떠올라
넌 항상 밝게 빛나는 별과 같거든